Y0-AEY-350

Scénario : Jean-Michel Dupont * Dessin : Mezzo
Conception graphique : Nicole Berthoux * Mezzo

© 2014, Glénat

Éditions Glénat – Couvent Sainte Cécile
37, rue Servan – 38000 GRENOBLE
Dépôt légal : septembre 2014
I.S.B.N. 978-2-344-00339-8 / 004

Achevé d'imprimer en France en novembre 2014 par la manufacture d'Histoires Deux-Ponts,
sur papier provenant de forêts gérées de manière durable.

# LOVE IN VAIN

## ROBERT JOHNSON 1911-1938

### MEZZO - J. M. DUPONT

*à Nicole, à Véronique*

GLÉNAT

# AVANT-PROPOS

Si vous aimez passionnément le blues, ce livre vous comblera. Mais nul besoin de vénérer cette musique pour apprécier ce portrait du bluesman le plus célèbre de tous les temps.

Véritable chef-d'œuvre, tant par la qualité du dessin que de la narration, il dépasse le cadre du simple roman graphique grâce à la poésie de ses textes et la magnificence de ses planches, dont chacune est à elle seule une authentique œuvre d'art.

LAWRENCE COHN
Los Angeles, Californie
Août 2014

*Laurence Cohn est le producteur de l'album Robert Johnson : The Complete Recordings, couronné par un Grammy Award. On lui doit également l'ouvrage de référence Nothing but the Blues.*

... MAIS AVANT DE TE JUGER, IL FAUDRAIT QU'ILS SACHENT POURQUOI TU AS CHOISI LE CAMP DES IMPIES...

... ET POURQUOI TU AS BRÛLÉ TA VIE.

—4—

C'EST CE QUE JE VAIS VOUS RACONTER.

HAZLEHURST, MISSISSIPPI, 1907.

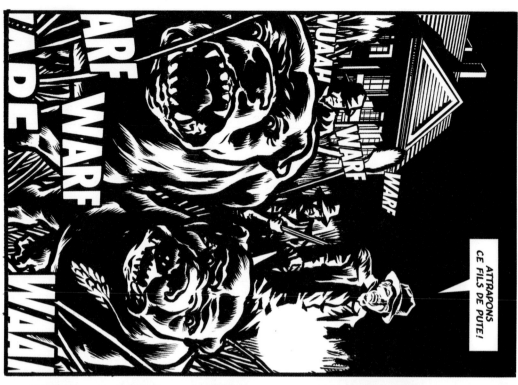

ATTRAPONS CE FILS DE PUTE!

POUR UNE SOMBRE EMBROUILLE, CHARLES DODDS S'ÉTAIT ATTIRÉ LES FOUDRES DES PATRONS D'UNE PLANTATION.

HHH... JULIA, LÂCHE CETTE GOSSE ET PRÉPARE MON SAC! LES FRÈRES MARCHETTI VEULENT MA PEAU!...

APRÈS SA FUITE, FAUTE DE NOUVELLES, SA FEMME A FINI PAR LE REMPLACER...

VOILÀ NOAH JOHNSON, VOTRE NOUVEAU PAPA.

À CROIRE QUE DIEU AUSSI L'AVAIT LÂCHEMENT ABANDONNÉE.

QUAND NOAH JOHNSON S'EST ENVOLÉ À SON TOUR, JULIA A DÛ TRIMER SEULE POUR NOURRIR SES GOSSES, DE PLANTATIONS EN PLANTATIONS, PAYÉE UNE MISÈRE PAR DES EXPLOITEURS SANS SCRUPULES.

LE PREMIER QUI LUI JETTE LA PIERRE, JE L'EXPÉDIE EN ENFER.

MAIS LE MÉNAGE À TROIS N'A DURÉ QU'UN TEMPS. JULIA RÊVAIT D'UNE AUTRE EXISTENCE, VOILÀ POURQUOI, UN JOUR, ELLE EST PARTIE SEULE POUR TOUT REPRENDRE À ZÉRO.

HOTEL CLARK

MEMPHIS CAFE

for COLORED ONLY

... ET LE 8 MAI 1911, ROBERT LEROY JOHNSON EST NÉ.

HEUREUSEMENT, ELLE A RETROUVÉ DODDS QUI VIVAIT À MEMPHIS SOUS UN AUTRE NOM. ELLE EST VENUE S'INSTALLER CHEZ LUI AVEC SES DEUX PETITS DERNIERS.

ALORS, C'EST TOI ROBERT? BIENVENUE DANS LA FAMILLE SPENCER!

QUATRE ANS PLUS TARD, DODDS A RENVOYÉ ROBERT À SA MÈRE. C'ÉTAIT UN VRAI DÉMON, PARAÎT-IL. LE GENRE DE GAMIN QUE J'AFFECTIONNE. LES PETITS ANGES, JE LES EXÈCRE, SAUF QUAND IL S'AGIT DE LEUR APPRENDRE LES MAUVAISES MANIÈRES.

ROBERT N'A PAS AIMÉ SON NOUVEAU PÈRE, CE QUE JE COMPRENDS AISÉMENT.

AU LIEU DE JOUER CETTE MUSIQUE DU DIABLE, RENDS-TOI PLUTÔT UTILE!

TU SAIS AU MOINS QUI C'EST?!

T'ES MÊME PAS MON PÈRE!

JULIA N'AVAIT RIEN D'UNE NONNE ET CE N'EST PAS MOI QUI L'EN BLÂMERAI. ELLE S'ÉTAIT RETROUVÉ UN HOMME, UN COTTON PICKER QUI PARTAGEAIT SA VIE À ROBINSONVILLE, MISSISSIPPI.

VOICI DUSTY WILLIS, VOTRE NOUVEAU PAPA.

IL S'APPELLE NOAH JOHNSON. JE SUPPOSE QU'IL VIT À HAZLEHURST... À MOINS QU'IL NE RÔTISSE DÉJÀ EN ENFER.

—8—

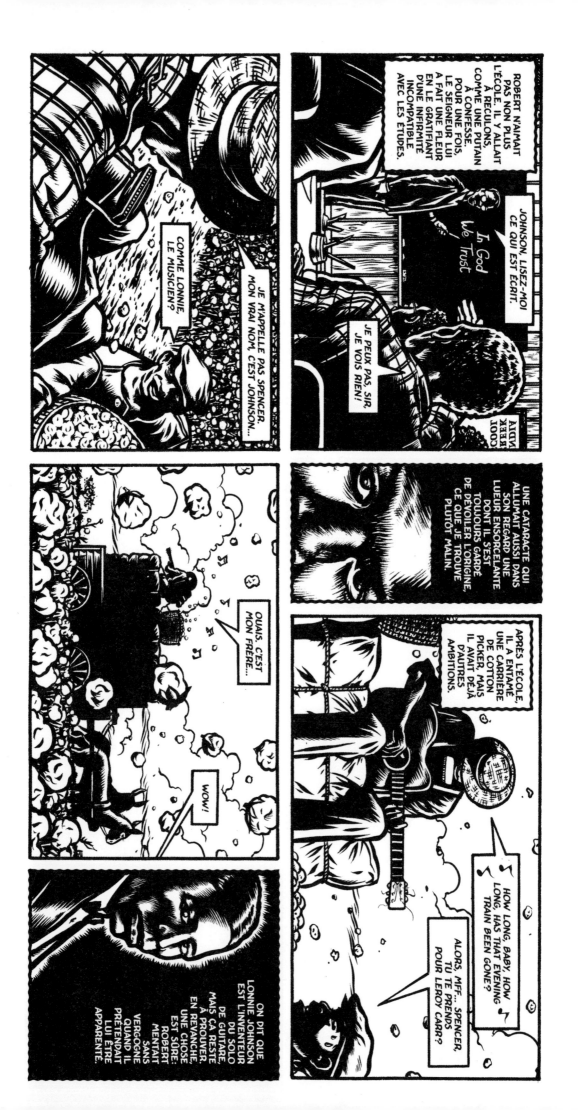

POURQUOI, AU LIEU DE JOUIR DE SON CHARME, A-T-IL FALLU QU'IL TOMBE AMOUREUX! EN TOUT CAS, C'EST MON AVIS.

ROBERT ET VIRGINIA, PRIONS LE SEIGNEUR POUR QUE VOTRE UNION SOIT LONGUE ET HEUREUSE...

D'AUTANT QUE L'AMOUR L'A FAIT RENTRER DANS LE DROIT CHEMIN.

DOUCEMENT, JOHNSON, TU VAS PAS TENIR AVEC CETTE CHALEUR!

UN VRAI GÂCHIS, JE VOUS DIS.

IL BOIT PAS, IL COURT PAS... T'AS DE LA CHANCE, VIRGINIA! JE VAIS DEMANDER À PAPA LEGBA QU'IL ME DONNE UN MARI COMME ÇA!

TAIS-TOI, PAÏENNE! C'EST LE SEIGNEUR QUI ME L'A ENVOYÉ!

— 12 —

—13—

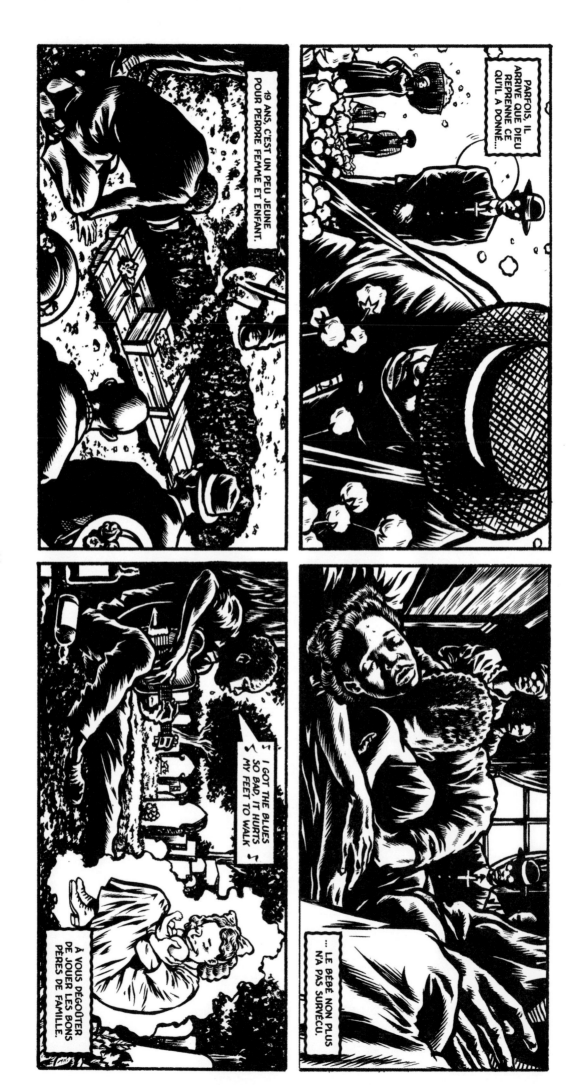

D'AUCUNS DIRONT QUE DIEU A PLONGÉ ROBERT DANS LE MALHEUR POUR ÉPROUVER SA FOI. MOI, JE CROIS PLUTÔT QU'IL SAVAIT QUE CETTE BREBIS N'ÉTAIT PAS POUR LUI, ET QU'IL SE L'EST MISE À DOS POUR L'ÉLOIGNER DE SON TROUPEAU.

ANCIEN PRÊCHEUR, SON HOUSE AVAIT, LUI AUSSI, FRANCHI PLUSIEURS FOIS LA FRONTIÈRE ENTRE L'OMBRE ET LA LUMIÈRE. GRÂCE À WILLIE BROWN QUI L'AVAIT PRIS SOUS SON AILE, ROBERT A PU RENCONTRER CETTE GLOIRE DU DELTA.

JE TE PRÉSENTE LITTLE ROBERT. IL JOUE DE L'HARMONICA.

ET AUSSI DE LA GUITARE, SIR!

DEHORS!

MAIS ROBERT ÉTAIT TROP PRESSÉ.

PITIÉ! FAITES-LE TAIRE!

QUEL SUPPLICE!

OK, OK!

—16—

AVEC UN TEL MAÎTRE, COMMENT NE PAS RÊVER À NOUVEAU DE GLOIRE?

L'HARMONICA, ÇA VA, MAIS POUR LA GUITARE TU N'Y ES PAS...

LAISSE TOMBER LA GUITARE, FILS. TU FAIS FUIR LES GENS.

JE CROIS QUE ROBERT S'EST SENTI TRAHI PAR SON HOUSE. JE CROIS AUSSI QU'IL VOYAIT EN LUI UN PEU PLUS QU'UN MENTOR. CE QUI PEUT EXPLIQUER POURQUOI IL S'EST SOUDAIN MIS EN TÊTE DE RETROUVER SON VRAI PÈRE.

EN VOITURE !

À HAZLEHURST, FAUTE DE TROUVER NOAH JOHNSON, IL A RENCONTRÉ IKE ZINNERMAN.

JE VOIS... BON, IL FAUT QUE JE TE MONTRE QUELQUES TRUCS.

IKE ZINNERMAN ÉTAIT, PARAÎT-IL, UN GUITARISTE PRODIGIEUX, MAIS N'AYANT PAS EU LA CHANCE DE GRAVER SA MUSIQUE SUR UN DISQUE, IL L'A EMPORTÉE DANS LA TOMBE. IRONIQUE POUR UN TYPE QUI PRÉTENDAIT AVOIR TOUT APPRIS EN JOUANT APRÈS MINUIT AU MILIEU D'UN CIMETIÈRE.

LES NUITS PASSÉES AVEC IKE ONT FINI PAR PAYER.

HAZLEHURST

TECHE LINES

DAD! REGARDE SES MAINS, ON DIRAIT DES ARAIGNÉES!

UN CONSEIL: RESTEZ DISCRET SI VOUS PASSEZ CE GENRE DE DEAL.

INFLUENCE MAJEURE DE HOWLIN' WOLF ET MUDDY WATERS, TOMMY "SNAKE" JOHNSON MÉRITAIT LUI AUSSI LA GLOIRE. MAIS IL A RUINÉ SA CARRIÈRE À FORCE DE PERDRE SES CACHETS AU JEU, ET DE CROUPIR AU TROU POUR IVRESSE SUR LA VOIE PUBLIQUE. ON DIT QUE DIEU LUI COLLA CE DESTIN POUR LE PUNIR D'AVOIR PRÉTENDU QUE SON TALENT ÉTAIT LE FRUIT D'UN PACTE AVEC LE DIABLE.

QUAND ROBERT A COMMENCÉ À SE PRODUIRE SEUL, DE JUKE JOINTS EN COUNTRY SUPPERS, IL A RESSORTI SON VIEUX MENSONGE EN SE FAISANT PASSER POUR LE FRÈRE DE LONNIE JOHNSON. SANS DOUTE PARCE QU'IL MANQUAIT ENCORE D'ASSURANCE...

WELcum

QU'EST-CE QU'IL FABRIQUE AVEC CETTE BARRIQUE?

HEY, SISTERS, ADMIREZ LE JOLI SONGSTER!

ON DIRAIT SA MÈRE!

DÉSORMAIS, IL POUVAIT AFFRONTER SANS CRAINTE LE PUBLIC, ET MÊME SE PRODUIRE AVEC DES POINTURES COMME TOMMY JOHNSON ET IKE ZINNERMAN.

♪ CRYING, MAMA, MAMA CRYING, MAMA CANNED HEAT KILLING ME! ♪

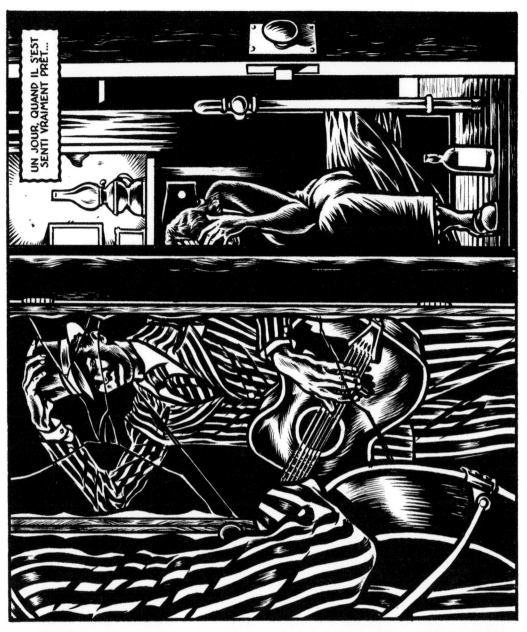

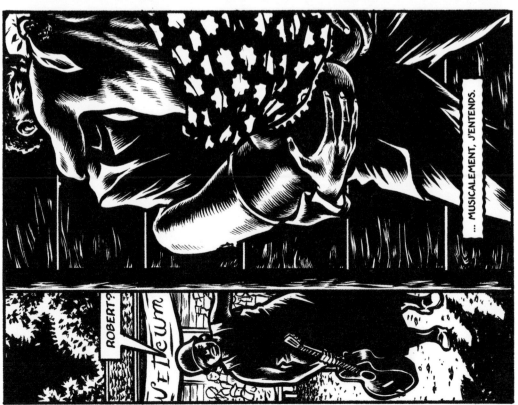

APRÈS QUOI, L'APPARITION S'ÉTAIT FONDUE DANS LES TÉNÈBRES, EMPORTÉE PAR LE VENT DU SUD, BRÛLANT COMME L'HALEINE D'UN BUVEUR DE GNÔLE...

FAUT-IL CROIRE CETTE HISTOIRE? MOI, JE SAIS QUOI EN PENSER. MAIS ON Y REVIENDRA, SI VOUS PERMETTEZ...

RÉVEILLÉ PAR UNE BRISE GLACÉE, IL AVAIT VU LE DIABLE ACCORDER SA GUITARE, PUIS EN JOUER DIVINEMENT... ENFIN, SI L'ON PEUT DIRE.

DANS SES BAGAGES, OUTRE SES PROGRÈS STUPÉFIANTS, ROBERT AVAIT EMBARQUÉ CALLETA ET SA NICHÉE, DRÔLE D'IDÉE, SACHANT QU'IL PASSAIT DÉSORMAIS SA VIE À TRAÎNER DANS LES BARRELHOUSES, HONKY TONKS OU AUTRES TEMPLES DU VICE QUI FAISAIENT LA FORTUNE DES PUTES ET DES BOOTLEGGERS, POUR LUI AUSSI, ÇA MARCHAIT BIEN, SURTOUT QUAND IL SORTAIT DE SA GUITARE DES HOKUM SONGS BIEN SALACES...

BABY, LET ME PUT MY BANANA IN YOUR FRUIT BASKET THEN I'LL BE SATISFIED!

... OU QU'IL DÉBALLAIT SON NUMÉRO DE CLAQUETTES...

... AVANT DE TOMBER IVRE MORT.

HEY, SUGAR, TU CROIS QUE TU VAS POUVOIR PÊCHER DANS MA MARE ?

...MÊME S'ILS AVAIENT DES POINTS DE DISCORDE.

JE TE SAISIS PAS, MAN... TU POURRAIS MONTER CES JOLIES POULICHES... POURQUOI RELUQUER CETTE BIG MAMA?

UNE FOIS LASSÉ D'ÊTRE COUVÉ, IL S'ÉCLIPSAIT POUR ÉCUMER LES ROUTES DU SUD : MISSISSIPPI, TENNESSEE, ALABAMA, LOUISIANE...

OINNK!

OINNK!

OINNK!

LOUISIANA 61

UN ROUGE

VOILÀ POURQUOI.

C'ÉTAIT BIEN UTILE DE PASSER POUR L'AMI DU DIABLE QUAND IL ERRAIT SEUL LA NUIT ET JOUAIT DANS DES LIEUX MAL FAMÉS, COMME LES RAILROAD GANGS...

♪ IT'S A HARD TIME, GOOD MAN CAN'T GET NO DOUGH...

...CES CHANTIERS DU RAIL LANCÉS PAR ROOSEVELT QUAND LA GRANDE DÉPRESSION FAISAIT RAGE, ET QUI ATTIRAIENT COMME DES MOUCHES TOUS LES DAMNÉS DE LA TERRE.

QUAND IL NE TOURNAIT PAS, ROBERT REVENAIT À HELENA OÙ IL AVAIT UN PIED-À-TERRE DÉNICHÉ SELON UNE MÉTHODE ÉPROUVÉE.

HEY, MAMA, JE PEUX ALLER CHEZ TOI?

HORMIS CETTE EXCEPTION, IL GARDAIT SA TECHNIQUE SECRÈTE. ON PEUT TROUVER ÇA MESQUIN, SAUF QU'UN BON BUSINESS, ÇA NE SE PARTAGE PAS.

ICE COLD

HEY, MATHAFUCKA!

JE SUIS BIEN PLACÉ POUR LE SAVOIR.

ELLE AVAIT POUR NOM ESTELLA, DES ORIGINES CHEROKEE ET UNE THÉORIE SUR SON VISAGE IMBERBE.

TOI, T'AS DU SANG INDIEN DANS LES VEINES...

SI TU VEUX JOUER COMME ÇA, VA PRENDRE DES LEÇONS EN ENFER!

LE FILS D'ESTELLA VOULAIT APPRENDRE LE PIANO, ROBERT LUI A FAIT CHANGER D'AVIS.

REGARDE PETIT, LES BASSES AMBULANTES, C'EST PAS RÉSERVÉ AUX PIANISTES DE BOOGIE-WOOGIE!

LE PETIT, C'ÉTAIT ROBERT LOCKWOOD JR., LE SEUL À QUI IL AIT JAMAIS DÉVOILÉ SON JEU DE GUITARE.

ROBERT POUVAIT JOUER CE QU'IL VOULAIT, IL SUFFISAIT DE DEMANDER...

"TUMBLING TUMBLEWEEDS"!

ET POURQUOI PAS UNE POLKA?

"ST. LOUIS BLUES"!

MOI, J'AIMERAIS "MY BLUE HEAVEN"...

"OK SUGAR, VA POUR "MY BLUE HEAVEN"!

ET S'IL POUVAIT TOUT OSER...

OUBLIE-LA FAT HEAD, ELLE EST TROP "SEE SEE" POUR TOI!

PAS TOUCHE, SKIRT MAN, ELLE EST À MOI!

HEY!

...IL POUVAIT AUSSI SÉDUIRE QUI IL VOULAIT, IL SUFFISAIT DE DEMANDER.

LE PARADIS, BABE, JE PEUX T'Y EMMENER, SI ÇA TE DIT...

... C'EST QU'IL SE SAVAIT PRO-TÉGÉ PAR JOHNNY SHINES.

À CROIRE QUE MALGRÉ TOUT, DIEU LUI CONSERVAIT ASSEZ DE TENDRESSE POUR LUI COLLER UN ANGE GARDIEN.

BOB, IL FAUT QUE TU M'EXPLIQUES QUELQUE CHOSE ...

ALORS QU'ON VIT COMME DES HOBOES, T'ES TOUJOURS AUSSI NET QU'UN TYPE QUI SORT DE L'ÉGLISE LE DIMANCHE... C'EST QUOI TON SECRET?

... ET MÊME SI CETTE DRÔLE DE FUITE NE CONNAISSAIT PAS DE REPOS.

MAIS... ON NE SAIT MÊME PAS OÙ ON VA CE TRAIN!

QUELLE IMPORTANCE?

PARFOIS, ROBERT SEMAIT JOHNNY SHINES POUR SE TERRER COMME UNE BÊTE TRAQUÉE. QUAND L'ENFER VOUS RATTRAPE, PERSONNE NE PEUT VOUS VENIR EN AIDE, PAS MÊME VOTRE ANGE GARDIEN.

UN ANGE GARDIEN QUI LE SUIVAIT PARTOUT, MÊME S'IL AVAIT LE DIABLE AU CORPS...

TCOOUT!

DEBOUT, JOHNNY, Y A UN TRAIN QUI PART!

TU POSES TROP DE QUESTIONS, NAPPY!

COMME TOUT LE MONDE, IL A CRU QUE L'ARGENT POUVAIT LE DÉLIVRER DE SES DÉMONS...

—34—

SHE'S A KINDHEARTED WOMAN, SHE STUDIES EVIL ALL THE TIME...

C'EST DANS SON MAGASIN, À JACKSON, MISSISSIPPI, QUE SPEIR EXERÇAIT SON FLAIR.

ON DIT QUE H.C. SPEIR FUT AU BLUES CE QUE SAM PHILLIPS FUT AU ROCK 'N' ROLL. L'ÉQUATION SE TIENT PARFAITEMENT QUAND ON SAIT QUE CHARLEY PATTON, SON HOUSE, SKIP JAMES OU TOMMY JOHNSON ONT GRAVÉ LEURS PREMIERS SILLONS GRÂCE À LUI.

O... OK MIISTAH!

ÇA SE PASSE AU GUNTER HOTEL, À DEUX PAS D'ICI.

QUANT AU PRODUCTEUR DON LAW, IL ENREGISTRAIT SES POULAINS N'IMPORTE OÙ, DANS DES STUDIOS DE FORTUNE.

MR SPEIR? MON NOM EST ROBERT JOHNSON ET J'AI ÉCRIT QUELQUES CHANSONS...

OK! J'APPELLE ERNIE OERTLE, MON CONTACT CHEZ ARC.

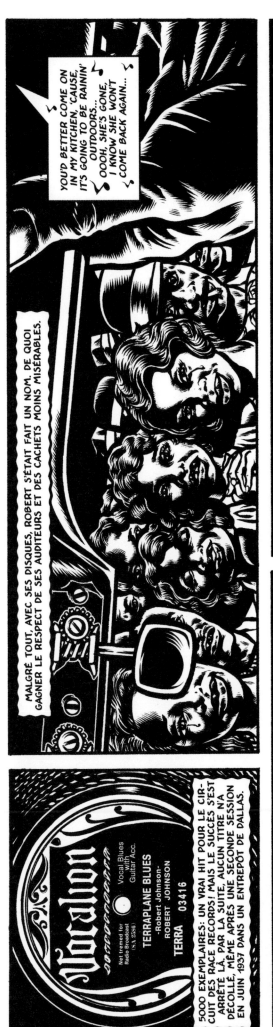

YOU'D BETTER COME ON IN MY KITCHEN, 'CAUSE, IT'S GOING TO BE RAININ' OUTDOORS... OOOH, SHE'S GONE, I KNOW SHE WON'T COME BACK AGAIN...

MALGRÉ TOUT, AVEC SES DISQUES, ROBERT S'ÉTAIT FAIT UN NOM, DE QUOI GAGNER LE RESPECT DE SES AUDITEURS ET DES CACHETS MOINS MISÉRABLES.

Vocalion

TERRAPLANE BLUES
-Robert Johnson-

Vocal Blues with Guitar Acc.

Not licensed for Radio Broadcast

ROBERT JOHNSON
TERRA 03416

5000 EXEMPLAIRES: UN VRAI HIT POUR LE CIRCUIT DES RACE RECORDS! MAIS LE SUCCÈS S'EST ARRÊTÉ LÀ. PAR LA SUITE, AUCUN TITRE N'A DÉCOLLÉ, MÊME APRÈS UNE SECONDE SESSION EN JUIN 1937 DANS UN ENTREPÔT DE DALLAS.

C'EST QUI CETTE WILLIE MAE?

LA COUSINE DE HONEYBOY EDWARDS.

HOO WILLIE MAE, HOO MY LOVE IN VAIN...

POW! POW!

TENNESSEE NORTH 51

TUUUUT!

COMME BEAUCOUP DE SES PAIRS, IL EST PARTI CONQUÉRIR LE NORD... TOUJOURS FLANQUÉ DE JOHNNY SHINES, MAIS AUSSI DE CALVIN FRAZIER QUI AVAIT BESOIN DE SE FAIRE OUBLIER APRÈS UNE RIXE FUNESTE.

TUTUUT!

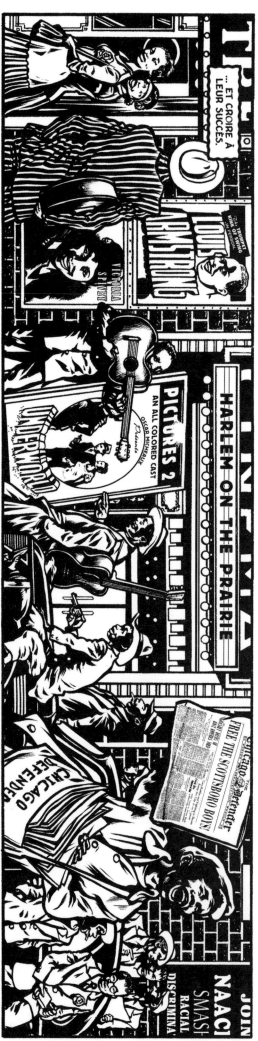

CE SUD PROFOND OÙ L'ON CRAIGNAIT CHAQUE ANNÉE DE REVIVRE LA GRANDE CRUE DE 1927 QUI AVAIT FAIT FUIR VERS LE NORD DES HORDES DE SINISTRÉS...

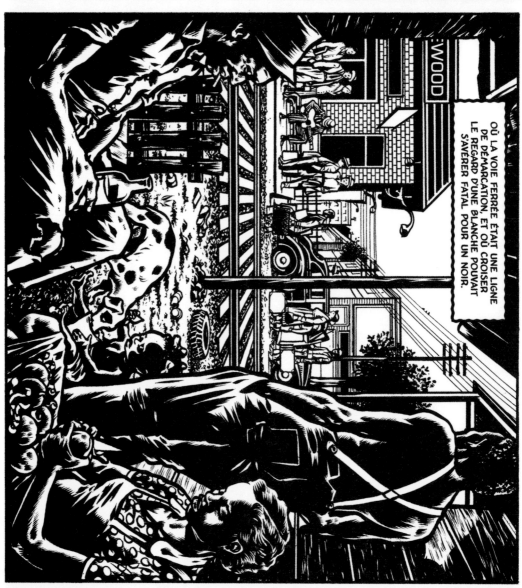

OÙ LA VOIE FERRÉE ÉTAIT UNE LIGNE DE DÉMARCATION, ET OÙ CROISER LE REGARD D'UNE BLANCHE POUVAIT S'AVÉRER FATAL POUR UN NOIR.

ET NE REVIENS PLUS JAMAIS!

BLAM!

À MOINS QU'IL N'AIT VOULU SE RAPPROCHER DE CLAUD, FRUIT D'UNE IDYLLE ÉPHÉMÈRE DONT IL AVAIT RETROUVÉ LA TRACE DANS LE COMTÉ DE LINCOLN.

PAR MALCHANCE, LE GRAND-PÈRE ÉTAIT PASTEUR.

VA-TEN, SERVITEUR DE SATAN!

POURQUOI? PEUT-ÊTRE TOUT SIMPLEMENT PARCE QU'IL AVAIT LE MISSISSIPPI DANS LES TRIPES.

Chitlins
Pigs Feet
BBQ Ribs

LE MARI TENAIT UN JOOK HOUSE DANS LES ENVIRONS DE GREENWOOD.

LE RESTE DU TEMPS, IL POUVAIT SE LIVRER À SON OCCUPATION FAVORITE.

QUE J'ALLAIS EN VILLE VOIR MA SŒUR.

QU'EST-CE QUE T'AS DIT À TON MARI?

— 50 —

IT'S THE WORST FEELIN', I 'MOST EVER HAD

DE LA PART D'UN ADMIRATEUR! JUSTE CE QU'IL FAUT POUR REMPLIR LE RÉSERVOIR!

SOME.. PEOPLE TELL ME THAT THE WORRIED BLUES... AIN'T BAD...

QUAND J'AURAI FAIT LE PLEIN DE GASOLINE.

TU JOUES QUAND, HONEY?

EN TOUT CAS, UNE CHOSE EST SÛRE: RICE MILLER FAISAIT UN PIÈTRE ANGE GARDIEN, SANS QUOI RIEN NE SERAIT ARRIVÉ.

I WOKE UP THIS MORNIN', FEELIN' ROUND FOR MY SHOES

ROBERT AVAIT SURVÉCU MIRACULEUSEMENT AU POISON, ET C'EST UNE PNEUMONIE QUI A EU RAISON DE SA CARCASSE MINÉE PAR L'ALCOOL ET LA SYPHILIS. COMME SI DIEU AVAIT FAIT UN GESTE, AVANT DE SE RAVISER FINALEMENT POUR LE CHÂTIER PAR OÙ IL AVAIT PÉCHÉ.

ON L'A ENTERRÉ AU CIMETIÈRE DE LITTLE ZION CHURCH, À QUELQUES MILES DE GREENWOOD. IRONIE DU SORT, ALORS QU'IL EST MORT SANS UN SOU - PAS MÊME DE QUOI PAYER LA CAISSE QUI LUI A SERVI DE CERCUEIL -, LE CHEMIN QUI Y MÈNE S'APPELLE MONEY ROAD.

OUTRE GREENWOOD, DEUX AUTRES VILLES SE DISPUTENT L'HONNEUR D'ABRITER SES RELIQUES. AU DIABLE LA POLÉMIQUE: D'APRÈS CE BON VIEUX KEITH RICHARDS, ROBERT FAISAIT À LUI SEUL LE BOULOT D'UN ORCHESTRE, ALORS, DISONS QUE LE COMPTE EST BON.

GREENWOOD

QUITO

ROBERT JOHNSON
MAY 8, 1911
AUG. 16, 1938
RESTING IN THE BLUES

MORGAN CITY

ROBERT JOHNSON

J'AURAIS ADORÉ RENCONTRER ROBERT À CE FAMEUX CARREFOUR...

WELL IT'S HARD TO TELL, IT'S HARD TO TELL, WHEN ALL YOUR LOVE'S IN VAIN ♪

CE SOIR-LÀ, JE M'ÉTAIS INVITÉ POUR ÉCOUTER LA CHANSON QU'ILS M'ONT GENTIMENT DÉDIÉE...

J'AI TOUJOURS PENSÉ QUE DIEU S'EN ÉTAIT VOULU D'AVOIR RAPPELÉ ROBERT TROP TÔT, AVANT QUE SON GÉNIE NE SOIT RECONNU. À VOTRE AVIS, EST-CE UN HASARD SI CELUI QU'IL A CHARGÉ DE CHANTER SES LOUANGES ET D'ORCHESTRER SA RÉDEMPTION PORTAIT UN TEL SURNOM?

I WENT DOWN TO THE CROSSROADS, FELL DOWN ON MY KNEES ♪

CLAPTON IS GOD!

...MAIS JE N'AI PAS EU CE PLAISIR, BIEN QU'ON AIT TOUJOURS PRÉTENDU LE CONTRAIRE. EN REVANCHE, PARMI SES ENFANTS, J'AI CROISÉ CEUX QUI ME SONT LE PLUS SYMPATHIQUES.

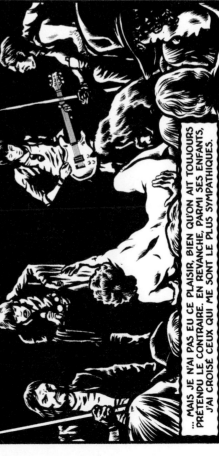

# ᔕ SONG BOOK ᔕ

CHANSONS ÉCRITES ET COMPOSÉES PAR ROBERT JOHNSON

TRADUCTION ET ADAPTATION ✳ J. M. DUPONT

# COME ON IN MY KITCHEN

You better come on in my kitchen
Babe, it's goin' to be rainin' outdoors

The woman I love, took from my best friend
Some joker got lucky, stole her back again
You better come on in my kitchen
Babe, it's goin' to be rainin' outdoors

Oh, she's gone, I know she won't come back
I've taken the last nickel out of her nation sack
You better come on in my kitchen
Baby, it's goin' to be rainin' outdoors

Oh, can't you hear that wind howl ! ?
Oh, can't you hear that wind howl ! ?
You better come on in my kitchen
Baby, it's goin' to be rainin' outdoors

When a woman gets in trouble, everybody throws her down
Lookin' for her good friend, none can't be found
You better come on in my kitchen
Baby, it's goin' to be rainin' outdoors

Winter time's comin', it's goin' to be slow
You can make the winter, babe, that's dry long so
You better come on in my kitchen
'Cause it's goin' to be rainin' outdoors

Viens t'abriter dans ma cuisine, chérie, la pluie va bientôt tomber
La femme que j'aime, c'est à un pote que je l'avais piquée,
Avant qu'un petit malin ne vienne me la voler
Viens t'abriter dans ma cuisine, chérie, la pluie va bientôt tomber

Ma nana s'est barrée, je crois qu'entre nous c'est fini
Alors j'ai taxé la pièce qu'elle avait mise dans son gri-gri
Viens t'abriter dans ma cuisine, chérie, la pluie va bientôt tomber

T'entends le vent qui se met à hurler ?
T'entends le vent qui se met à hurler ?
Viens t'abriter dans ma cuisine, chérie, la pluie va bientôt tomber

Quand une femme est dans la mouise, il n'y a personne pour l'aider
Si elle a besoin d'un ami, c'est même pas la peine de chercher
Viens t'abriter dans ma cuisine, chérie, la pluie va bientôt tomber

L'hiver s'installe, il va faire froid
Dehors, c'est sûr, tu le passeras pas
Viens t'abriter dans ma cuisine, chérie, la pluie va bientôt tomber

# TERRAPLANE BLUES

And I feel so lonesome you hear me when I moan
And I feel so lonesome you hear me when I moan
Who been drivin' my Terraplane for years since I been gone ?

I said I flash your lights mama your horn won't even blow
Somebody's been running my batteries down here you see
I even flash my lights mama this horn won't even blow
Got a short in this connection hoo well way down below

I'm gon' hoist your hood mama I'm bound to check your oil
I'm gon' hoist your hood mama I'm bound to check your oil
I got a woman that I'm lovin' way down in Arkansas

Now you know the coils ain't even burnin'
Little generator won't get that spark
All's in a bad condition you gotta have these batteries charged and I'm cryin'
Please please don't do me wrong
Who been drivin' my Terraplane for years since I been gone ?

Mr. Highway man please don't block the road
Please please don't block the road
'Cause she's registrin' a cold one hundred
And I'm booked and I got to go

You you hear me weep and moan
Who been drivin' my Terraplane now for years since I been gone ?
I'm gon' get deep down in this connection keep on tanglin' with yo' wires
I'm gon' get deep down in this connection keep on tanglin' with yo' wires
And when I mash down on your little starter
Then your spark plug will give me fire

Je me sens si seul, t'entends comme je gémis ?
Je me sens si seul, t'entends comme je gémis ?
Qui a conduit ma Terraplane pendant que j'étais parti?

Chérie, avant j'allumais tes phares et maintenant ton klaxon se tait
Ta batterie est à plat, quelqu'un a dû la vider…
Chérie, avant j'allumais tes phares et maintenant ton klaxon se tait
Ou peut-être qu'un court-circuit a tout fait sauter

Chérie, je vais te soulever le capot pour vérifier ton niveau d'huile
Chérie, je vais te soulever le capot pour vérifier ton niveau d'huile
Tu sais, en Arkansas, je connais une autre fille qui a du sex-appeal…

T'as un problème d'allumage, pas d'étincelle sur ta bougie
Ton moteur est en panne, il faut recharger la batterie
Je pleure… Ne me fais pas de mal, je t'en supplie!
Qui a conduit ma Terraplane pendant que j'étais parti?

Monsieur le bandit, je vous en supplie, ne me coupez pas le chemin
S'il vous plaît, je vous en supplie, ne me coupez pas le chemin
Ma Terraplane monte à 100 et j'ai envie de la reprendre en main!
T'entends comme je chiale et je gémis?
Qui a conduit ma Terraplane pendant que j'étais parti?
Je vais mettre le nez dans ton circuit pour y voir plus clair
Je vais mettre le nez dans ton circuit pour y voir plus clair
Sûr que tu vas démarrer quand j'appuierai sur ton starter!

# CROSS ROAD BLUES

I went to the crossroad, fell down on my knees
I went to the crossroad, fell down on my knees
Asked the Lord above: "Have mercy now, save poor Bob if you please"

Standin' at the crossroad, tried to flag a ride,
Ouuuh, yeeeeh, I tried to flag a ride
Ain't nobody seem to know me babe, everybody pass me by

Standin' at the crossroad baby, risin' sun, goin' down
Standin' at the crossroad baby, risin' sun goin' down
I believe to my soul now, poor Bob is sinkin' down

You can run, you can run, tell my friend Willie Brown
You can run, you can run, tell my friend Willie Brown
That I got the crossroad blues this mornin' Lord, babe I'm sinkin' down

And I went to the crossroad mama, I looked east and west
I went to the crossroad baby, I looked east and west
Lord I didn't have no sweet woman, well babe in my distress

Arrivé au carrefour, je suis tombé à genoux
Arrivé au carrefour, je suis tombé à genoux
Et j'ai demandé à Dieu : « Aide le pauvre Bob à quitter ce trou ! »

Planté au carrefour, j'ai cherché quelqu'un pour m'emmener
Planté au carrefour, j'ai cherché quelqu'un pour m'emmener
Mais comme personne ne me connaissait, aucune voiture ne s'est arrêtée

Coincé au carrefour, je vois la nuit qui arrive au galop
Coincé au carrefour, je vois la nuit qui arrive au galop
Et plus elle tombe, plus le pauvre Bob a le moral à zéro

Vite, prévenez Willie Brown, mon ami,
Vite, prévenez Willie Brown, mon ami,
Que je vais craquer si je reste ici !

Seul au carrefour, je regarde à droite et à gauche
Seul au carrefour, je regarde à droite et à gauche
Histoire de me consoler en trouvant une fille pas trop moche !

# ME AND THE DEVIL BLUES

Early this mornin'
When you knocked upon my door
Early this mornin'
Ooh, when you knocked upon my door
And I said
"Hello, Satan, I believe it's time to go"

Me and the devil
Was walkin' side by side
Me and the devil
Ooh, was walkin' side by side
I'm goin' to beat my woman
Until I get satisfied

She say, "You don't see why
That I will dog 'round"
She say, "You don't see why
Ooh, that I be dog 'round"
It must be that old evil spirit
So deep down in the ground

You may bury my body
Down by the highway side
You may bury my body
Ooh, down by the highway side
So my old evil spirit
Can get a Greyhound bus and ride

Ce matin, quand je t'ai entendu frapper
Ce matin, quand je t'ai entendu frapper
J'ai dit : « Salut Satan, je crois que mon heure a sonné ! »

Le Diable est à mes côtés
Le Diable est à mes côtés
Quand je frappe ma femme, ça me plaît
Elle me demande pourquoi je la traite aussi mal
Elle me demande pourquoi je la traite aussi mal
Je réponds que ça vient de ma part infernale

Je voudrais qu'on m'enterre au bord de la route sur le bas-côté
Je voudrais qu'on m'enterre au bord de la route sur le bas-côté
Pour que le démon qui est en moi puisse prendre un bus et filer

# LOVE IN VAIN

And I followed her to the station with her suitcase in my hand
And I followed her to the station with her suitcase in my hand
Well it's hard to tell, it's hard to tell, when all your love's in vain
All my love's in vain

When the train rolled up to the station, I looked her in the eye
When the train rolled up to the station, and I looked her in the eye
Well I was lonesome I felt so lonesome, and I could not help but cry
All my love's in vain

The train it left the station, was two lights on behind
When the train it left the station, was two lights on behind
Well the blue light was my blues and the red light was my mind
All my love's in vain

Ooh Willie Mae
Ooh Willie Mae
All my love's in vain

Je l'ai suivie à la gare, sa valise à la main
Je l'ai suivie à la gare, sa valise à la main
Ça me crève le cœur d'avouer que je l'aime en vain
Je l'aime en vain

Quand le train est entré en gare, je l'ai regardée droit dans les yeux
Quand le train est entré en gare, je l'ai regardée droit dans les yeux
Et je n'ai pas pu retenir mes larmes, tellement j'étais malheureux
Je l'aime en vain

Quand le train a quitté la gare, deux feux clignotaient derrière
Quand le train a quitté la gare, deux feux clignotaient derrière
Un bleu pour mon blues, un rouge pour mon enfer
Je l'aime en vain

Ooh Willie Mae
Ooh Willie Mae
Je t'aime en vain

# SWEET HOME CHICAGO

Oh, baby don't you want to go ?
Oh, baby don't you want to go ?
Back to the land of California
To my sweet home Chicago

Oh, baby don't you want to go ?
Oh, baby don't you want to go ?
Back to the land of California
To my sweet home Chicago

Now one and one is two
Two and two is four
I'm heavy loaded baby
I'm booked, I gotta go

Cryin', baby
Honey, don't you want to go ?
Back to the land of California
To my sweet home Chicago

Now two and two is four
Four and two is six
You gonna keep monkeyin' 'round, here friend-boy
You gonna get your business all in a trick

But I'm cryin' baby
Honey don't you wanna go ?
Back to the land of California
To my sweet home Chicago

Now six and two is eight
Eight and two is ten
Friend-boy she trick you one time
She sure gonna do it again

But I'm cryin' hey
Baby don't you want to go ?
To the land of California
To my sweet home Chicago

I'm goin' to California
From there to Des Moines, Iowa's
Somebody will tell me that you
Need my help someday

Cryin', hey hey
Baby don't you want to go ?
Back to the land of California
To my sweet home Chicago

Chérie, ça te dirait une petite virée en duo ?
Chérie, ça te dirait une petite virée en duo ?
Jusqu'à mon coin de paradis, cette chère ville de Chicago ?
Chérie, ça te dirait une petite virée en duo ?
Chérie, ça te dirait une petite virée en duo ?
Jusqu'à mon coin de paradis, cette chère ville de Chicago ?
Comme un et un font deux, comme deux et deux font quatre,
C'est sûr, maintenant faut qu'on parte !
Chérie, ça te dirait une petite virée en duo ?
Jusqu'à mon coin de paradis, cette chère ville de Chicago ?
Comme deux et deux font quatre, comme quatre et deux font six,
Tu dois quitter ton fiancé avant que ta vie n'en pâtisse !
Chérie, ça te dirait une petite virée en duo ?
Jusqu'à mon coin de paradis, cette chère ville de Chicago ?
Comme six et deux font huit, comme huit et deux font dix,
Si ton mec te manque de respect, c'est le moment propice !
Chérie, ça te dirait une petite virée en duo ?
Jusqu'à mon coin de paradis, cette chère ville de Chicago ?
Je pars pour la Californie, puis pour Des Moines, Iowa
Et quelque chose me dit que tu as besoin de moi
Chérie, ça te dirait une petite virée en duo ?
Jusqu'à mon coin de paradis, cette chère ville de Chicago ?

# 32-20 BLUES

I send for my baby and she don't come
I send for my baby, man, and she don't come
All the doctors in Hot Springs, they sure can't help her none

And if she gets unruly, things she don't wanna do
And if she gets unruly and thinks she don't wanna do
Take my 32-20, now, and cut her half in two

She got a 38 special but I believe it's most too light
She got a 38 special but I believe it's most too light
I got a 32-20, got to make the camps alright

I send for my baby, man, and she don't come
I send for my baby, man, and she don't come
All the doctors in Hot Springs sure can't help her none

I'm gonna shoot my pistol, I'm gonna shoot my Gatling gun
I'm gonna shoot my pistol, gotta shoot my Gatling gun
You made me love you, now your man have come

Baby, where'd you stay last night ?
Baby, where'd you stay last night ?
You got your hair all tangled and you ain't talkin' right

38 special, boys, do it very well
38 special, boys, it do very well
I got a 32-20 now and it's a burnin'

If I send for my baby, man, and she don't come
If I send for my baby, man, and she don't come
All the doctors in Wisconsin sure can't help her none

Hey, hey baby, where'd you stay last night ?
Hey, hey baby, where'd you stay last night ?
You didn't come home until the sun was shining bright

Ah boy, I just can't take my rest
Ah boy, I just can't take my rest
With this 32-20 laying up and down my breast

J'ai dit à ma chérie de se ramener, mais personne à l'horizon
J'ai dit à ma chérie de se ramener, mais personne à l'horizon
Aucun médecin ne pourra la sauver si elle rentre pas à la maison

Si elle n'obéit pas, si elle n'en fait qu'à sa tête
Si elle n'obéit pas, si elle n'en fait qu'à sa tête
Je sors mon calibre 32-20 et ça va être sa fête

Elle a un 38 Spécial, mais c'est un peu léger
Elle a un 38 Spécial, mais c'est un peu léger
Avec mon 32-20, je vais l'exploser

J'ai dit à ma chérie de revenir, mais personne à l'horizon
J'ai dit à ma chérie de revenir, mais personne à l'horizon
Aucun médecin ne pourra la sauver si elle rentre pas à la maison

Je vais la flinguer à mort et la finir à la mitrailleuse
Je vais la flinguer à mort et la finir à la mitrailleuse
Elle m'a séduit et maintenant c'est un autre qui la rend heureuse

Chérie, t'étais où la nuit dernière ?
Chérie, t'étais où la nuit dernière ?
Tes cheveux sont décoiffés et tu me parles de travers

Ton 38 Spécial, c'est un bon revolver
Ton 38 Spécial, c'est un bon revolver
Mais mon 32-20 crache le feu de l'enfer

J'ai dit à ma chérie de se ramener, mais personne à l'horizon
J'ai dit à ma chérie de se ramener, mais personne à l'horizon
Aucun médecin ne pourra la sauver si elle rentre pas à la maison

Chérie, t'étais où la nuit dernière ?
Chérie, t'étais où la nuit dernière ?
Quand t'es rentrée, l'aurore était déjà loin derrière

Ah, mes amis, je ne tiens pas en place,
Ah, mes amis, je ne tiens pas en place,
Et je sens que mon 32-20 s'agace

# BIBLIOGRAPHIE

## ROBERT JOHNSON

*Robert Johnson*, Samuel B. Charters (New York: Oak Publications), 1972

*Robert Johnson, The Complete Recordings*, livret du CD, Steve LaVere (Columbia), 1990

*À la recherche de Robert Johnson*, Peter Guralnick (Castor Music), 1998

*Mystery Train: Images de l'Amérique à travers le Rock'n'roll*, Greil Marcus (Allia), 2001

*Robert Johnson Lost and Found*, Barry Lee Pearson et Bill Mc Culloch (University of Illinois Press), 2003

*Escaping the Delta, Robert Johnson and the Invention of Blues*, Elijah Wald (Amistad), 2004

*Robert Johnson, Mythmaking and Contemporary American Culture*, Patricia R. Shroeder (University of Illinois Press), 2004

*Crossroads, The Life and Afterlife of Blues Legend Robert Johnson*, Tom Graves (Rythm Oil Publications), 2008

*Les Enfers du Rock*, Philippe Manœuvre (Tana), 2009

## BLUES

*The Country Blues*, Samuel B. Charters (Da Capo Press), 1959

*Le Monde du Blues*, Paul Oliver (10-18), 1962

*Le Peuple du Blues*, LeRoi Jones (Folio, Gallimard), 1963

*Blues from the Delta*, William R. Ferris (Da Capo Press), 1970

*Feel Like Going Home, Légendes du Blues et pionniers du Rock'n'Roll*, Peter Guralnick (Rivages Rouges), 1971

*Devil's Music, Une Histoire du Blues*, Giles Oakley (Denoël), 1976

*Le Blues*, Gérard Herzhaft (Puf, Que sais-je?), 1981

*Deep Blues*, Robert Palmer (Penguin), 1982

*Tallin' that Talk, Le Langage du Blues et du Jazz*, Jean-Paul Levet (Hatier), 1992

*Nothing but the Blues*, Lawrence Cohn (Abbeville Press), 1993

*Le Pays où naquit le Blues*, Alan Lomax (Les Fondeurs de Briques), 1993

*La Grande Encyclopédie du Blues*, Gérard Herzhaft (Fayard), 1997

*Chasin' that Devil Music: Searchin' for the Blues*, Gayle Dean Wardlow (Backbeat Books), 1998

*Blackface*, Nick Tosches (Allia), 2001

*Martin Scorsese présente: Le Blues*, Peter Guralnick, Robert Santelli, Holly George-Warren et Christopher John Farley (Naïve), 2003

*Memphis Blues*, Jean-Jacques Milteau et Sebastian Danchin (Éditions du Chêne), 2005

*The Language of the Blues, From Alcorub to Zuzu*, Debra Devi (True Nature Books), 2006

*Héros du Blues, du Jazz et de la Country*, Robert Crumb, Stephen Calt, David Jasen et Richard Nevins (Éditions de la Martinière), 2008

*Delta Blues*, Ted Gioa (W. W. Norton), 2008

*Blues Traveling, The Holy Sites of Delta Blues*, Steve Cheseborough (University Press of Mississippi), 2009

*Blues*, Alain Gerber (Fayard), 2009

*The Blues. A Very Short Introduction*, Elijah Wald (Oxford University Press), 2010

*Hidden History of Mississippi Blues*, Roger Stolle (The History Press), 2011

*Philosophie du Blues. Une éthique de l'errance solitaire*, Philippe Paraire (Les Éditions de l'Épervier), 2012

## VAUDOU

*Le Vaudou haïtien*, Alfred Métraux (Gallimard), 1958

*Le Vaudou*, Charles Planson (Ma Éditions), 1987

## FILMOGRAPHIE

*Mississippi Blues*, Bertrand Tavernier et Robert Parrish, 1983

*Deep Blues: A Musical Pilgrimage to the Crossroads*, Robert Mugge, 1990

*The Search for Robert Johnson*, Chris Hunt, 1992

*Can't You Hear the Wind Howl? The Life & Music of Robert Johnson*, Peter W. Meyer, 1997

*Stop Breaking Down*, Glenn Marzano, 1999

*Devil's Fire*, Charles Burnett, 2006

## WEBOGRAPHIE

*Robert Johnson Blues Foundation*: robertjohnsonbluesfoundation.org

*Mississippi Blues Trail*: msbluestrail.org

*The Delta Blues*: tdblues.com

REMERCIEMENTS

Lawrence Cohn pour ses encouragements enthousiastes.

Samuel B. Charters, Mack McCormick, Peter Guralnick, Robert Palmer, Steve LaVere, Elijah Wald, Gérard Herzhaft et tous les érudits du blues dont les travaux nous ont été précieux.

Dorothea Lange et Walker Evans pour leurs photos réalisées dans les années 1930, tout aussi précieuses.

Tom Wilson dont l'illustration de la pochette de l'album *Robert Johnson – King of the Delta Blues Singers Vol. 2* (Columbia) est revisitée par Mezzo à la page 36 de cet album.

Robert Crumb, source inépuisable d'admiration et d'inspiration.

Sylvester Hoover pour une inoubliable promenade en sa compagnie dans Greenwood, Mississippi.

La Robert Johnson Blues Foundation pour son accueil chaleureux à Crystal Springs, Mississippi.

Nicolas Finet pour son soutien amical et éclairé.

Judith Harris pour sa relecture experte.